Des mêmes auteurs au Seuil Jeunesse
Le Poulet de Broadway

Dépôt légal : octobre 1994
ISBN : 2 02 022464-X
N° 22464-1
Loi 49-956 du 16 juillet 1949 sur
les publications destinées à la jeunesse
Photogravure Prodima
Imprimé par Castuera en Espagne et relié en France

Le Cochon à l'oreille coupée

Jean-Luc Fromental

Miles Hyman

Seuil Jeunesse

Il y avait dans une ferme deux porcelets de la même portée qui se ressemblaient tant qu'il était impossible de les distinguer. Les gens mal informés vous diront que rien ne ressemble à un cochon comme un autre cochon. Erreur ! Quiconque a pris la peine d'observer ces magnifiques animaux sait qu'il existe toujours des différences, des signes particuliers – une tache lie-de-vin sur le rose du pelage, un tour de vis supplémentaire à la queue, un retroussis spécial du groin, une certaine façon de plisser les oreilles en flairant le sol.

Mais ces deux-là, ces jumeaux, étaient exactement identiques. Pareils du museau aux sabots, dans leurs facéties et leurs cabrioles, dans leur manière de bondir côte à côte sous le ventre de leur mère à l'heure de la tétée, hop et hop, aussi symétriques que deux petits cochons de bois d'un manège d'autrefois. On aurait pu croire en les voyant que l'un n'était que le reflet de l'autre. A cause de cela, et parce qu'ils étaient nés un 25 décembre, les enfants du fermier avaient baptisé le premier Noël et le second Léon, qui est le même nom lu dans une glace.

— Ne vous y attachez pas trop, avaient prévenu les parents, ils ne resteront peut-être pas très longtemps avec nous.

En effet. Il ne faut pas plus d'un an pour engraisser un porc jusqu'à son poids de boucherie. De là, l'avenir des deux frères était tout tracé. Ils deviendraient boudin, jambons, saindoux et salaisons. En attendant, inconscients du sort qui les guettait, ils vivaient une enfance insouciante, pleine de rires et de gambades, sous le ciel sans nuages de leur verte campagne.

Tous les petits cochons sont curieux de nature. Mais chez ces deux-là, peut-être parce qu'il n'y a pas mieux qu'un jumeau pour vous encourager à la désobéissance, la curiosité frôlait la catastrophe. Noèl et Léon étaient intenables. Turbulents, discutailleurs, insupportables. Leur mère les avait prévenus :

— N'allez pas vous croire plus malins que les autres sous prétexte que vous êtes deux. Le monde qui nous entoure est dangereux et je n'ai pas que vous à surveiller. Gare à vos croupes si vous vous éloignez trop de la bauge.

Paroles maladroites. Alors que leurs frères et sœurs de portée s'endormaient sagement après la tétée, eux, justement, ne pensaient qu'à se faufiler sous le grillage de l'enclos, excités par ce monde d'aventures et de dangers qui leur tendait les bras.

— On serait des explorateurs, disait Noèl, répétant sans en comprendre le sens exact les mots magiques que les enfants du fermier utilisaient dans leur jeux.

— Oui, faisait Léon en écho, des explorateurs.

— Plongée en hyperespace, lançait encore Noèl.

— Que la Force soit avec nous, complétait Léon.

Et ils détalaient de toute la vitesse de leurs vigoureuses petites pattes loin de la vigilance maternelle, s'enhardissant un peu plus à chaque sortie. En un rien de temps, ils eurent visité : le bâtiment où les poulets étaient élevés en batterie, les étables, la laiterie, un silo à grains, la fosse à purin, les hangars où dormaient d'énormes machines. Ils virent même la maison des fermiers, mais un éclair de lucidité les retint de s'y aventurer. C'est le jour où ils se risquèrent hors du périmètre de la ferme, dans les champs alentour, que le désastre se produisit.

On était en février et le travail de la terre reprenait après la pause de l'hiver. De gigantesques tracteurs tiraient leurs charrues à huit socs sur le ventre brun des labours. Leurs gros phares ronds trouaient la brume du matin, pareils aux yeux en boules de loto des créatures horrifiques des films que les enfants du fermier adoraient regarder à la télévision.

Les deux petits cochons n'avaient jamais vu la télévision, mais ils ne manquaient pas d'imagination.

— Les dragons, les dragons, sire Léon ! cria Noèl.

— Excalibur ! cria Léon. A l'attaque, sire Noèl !

Et ils s'élancèrent à la poursuite du tracteur le plus proche, martelant la glèbe de leurs sabots déchaînés. La croissance du cochon est d'une rapidité remarquable, et ils avaient bien dû tripler de volume depuis leur naissance. Mais enfin, à eux deux, ils n'atteignaient pas le centième du poids de l'engin qu'ils prétendaient terrasser. Arrivés à sa hauteur, ils s'en rendirent compte et s'arrêtèrent, dépités. Ce n'était qu'un jeu, mais on sait que les enfants, ceux des animaux comme ceux des hommes, prennent les jeux très au sérieux. Noèl refusa de se laisser intimider par ce monstre pétaradant.

— Banzaï ! hurla-t-il, en se jetant sous le bras d'attelage qui reliait la charrue au tracteur.

En trois bonds gracieux, il passa entre les deux machines. Léon voulut l'imiter et ce fut le drame. Il trébucha sur une motte, roula comme un gros ballon rose, rebondit contre la barre de protection de la charrue et fut happé par le dernier soc, qui lui trancha net l'oreille droite.

A quelque chose malheur est bon, dit le proverbe. On voit mal quel bien pourrait sortir d'un accident aussi navrant. Alerté par le couinement d'horreur de Léon, le fermier arrêta son tracteur et alla secourir le porcelet ensanglanté. Le vétérinaire dut faire une vingtaine de points de suture pour stopper l'hémorragie, mais il n'essaya pas de recoudre l'oreille sectionnée. Pour un instant de folie, Léon resterait mutilé toute sa vie.

Rongé de remords, Noèl songeait à la fessée qu'il allait recevoir quand sa mère saurait la vérité. Les enfants du fermier pleuraient comme des veaux.

— Ils étaient si mignons ! bramaient-ils. Si amusants ! Si parfaitement identiques !

— Comme ça, au moins, on les reconnaîtra, ricanèrent les parents, qui réprouvaient ce genre d'attendrissement. Il y avait à la ferme assez de chiens et de chats pour ne pas aller s'amouracher de bêtes promises à l'abattoir.

Il est très difficile quand on écrit l'histoire d'un être d'exception de situer l'origine de sa vocation. Pourquoi le petit Mozart s'intéressait-il davantage au clavecin qu'au cerceau ? A quel moment le jeune Einstein commença-t-il à préférer l'algèbre au ballon prisonnier ? Dans le cas de Léon, une chose est sûre. Cet accident changea sa vie. L'adorable jumeau devint un individu singulier à qui son oreille en moins donnait un air assez énigmatique. Comme tous ceux qui ont vu la mort de près, il se mit à regarder le monde d'un œil émerveillé. Le cochonnet écervelé fit place à un jeune goret sensible et rêveur. *A quelque chose malheur est bon.* Peut-être, au fond, ce vieux proverbe n'était-il pas complètement dénué de sens.

A vrai dire, c'est à Noèl que l'affaire fit le plus de tort. Et je ne parle pas de la rouste carabinée que lui flanqua sa mère. Non seulement on le rendit responsable de ce qui était arrivé à son frère, mais il perdit son prestige de jumeau, sans la compensation d'une mutilation intéressante. Les enfants du fermier se détournèrent de lui. Léon, assagi, ne l'accompagnait plus dans ses escapades. Il en conçut un grand dépit. Les bêtises sont moins drôles quand on doit les faire seul.

Il était habituel dans cette ferme de mettre les cochons au pré dès le retour des beaux jours. Mai trouva donc la portée au complet au milieu d'un champ de trèfles. Le soleil, comme un gros projecteur, posait une lumière de printemps sur cette scène bucolique. Fasciné par le contraste délicat entre le rose de ses frères et le vert des jeunes pousses, Léon en oubliait de paître. Noèl le rejoignit, bâillant d'ennui.

— Qu'est-ce que tu regardes avec cet air ahuri ? On dirait un martien devant une crotte de chien.

Il rit très fort de sa propre plaisanterie. La vie des porcs est si brève qu'ils n'ont pas une minute à perdre. A cinq mois, il entrait déjà dans l'âge bête.

— Je regarde... la lumière, murmura Léon.

Il aurait aimé en dire plus, expliquer à quel point ce qu'il voyait était beau, mais son frère le fixait de cet œil qu'ont les gens quand ils doutent de votre santé mentale. Alors, il se tut.

— Il y a un type qui fait des trucs bizarres dans le pré d'à côté, reprit Noèl. On y va ?

Et comme le prudent Léon hésitait, il plaida :

— J'ai repéré un trou dans la barrière. Il n'y a même pas de route à traverser.

Noèl ne mentait pas. Il y avait bien un homme dans le pré d'à côté, en train de se livrer à une étrange activité. Assis sur un siège pliant, coiffé d'un chapeau de paille informe, il s'appliquait à couvrir de couleurs un rectangle de toile blanche posé devant lui sur un support à trois pieds. Léon sentit son cœur bondir dans sa poitrine. Les couleurs étaient exactement celles qu'il admirait quelques instants plus tôt dans le champ voisin. Vert du trèfle, rose des cochons, bleu limpide du ciel, jaune du soleil. Noèl s'approcha, parfaitement à son aise.

— Hé m'sieur, qu'est-ce que vous faites là ? pépia-t-il.

— Tu le vois, mon enfant, répondit l'homme sans lever le nez de son travail. Je fais de la peinture.

— Et c'est quoi, la peinture ? A quoi ça sert ? Ça se mange ?

De nouveau, Noèl émit son rire satisfait, pour bien montrer qu'il plaisantait, qu'il n'était pas idiot au point de confondre ce que faisait cet homme avec de la nourriture. Cette fois, le vieux monsieur tourna la tête. Découvrant qu'il était en présence de deux petits gorets, il eut un sourire indulgent.

— Bien sûr que non, ça ne se mange pas. Ça ne nourrit même pas son homme. Disons que ça sert à faire plaisir.

— Plaisir ? fit Noèl, non sans insolence. Plaisir à qui ?

— A moi, d'abord, et avec un peu de chance à ceux qui la regarderont.

— Ça se regarde ? C'est comme la télé, alors.

— Si tu veux, admit le vieux monsieur, conciliant. On pourrait dire aussi que c'est tout le contraire de la télé. Ça ne bouge pas, ça ne braille pas, ça se savoure dans le calme et le recueillement, et plus on s'y intéresse, plus on y prend goût.

Le vieil homme avait un bon visage tout raviné de rides mais, échauffé par son sujet, il semblait rajeunir à vue d'œil.

— La peinture, disait-il, est un art. L'art de représenter les choses telles qu'on les voit, telles qu'elles sont, ou telles qu'on aimerait qu'elles soient. On part de rien et avec trois fois rien, un pinceau, trois couleurs, une goutte d'huile, trois gouttes d'eau, on crée un monde nouveau, on ouvre une fenêtre sur un pays qui n'existait pas. La peinture ? Mais c'est la beauté à l'état pur ! C'est l'art divin par excellence ! C'est...

— C'est trop compliqué pour moi, l'interrompit Noèl assez grossièrement. J'en ai mal à la hure rien que d'y penser.

Léon, lui, se taisait, médusé par sa découverte. Ainsi, il était possible de capturer les couleurs fugitives de la nature et de les fixer à jamais sur la toile. La lumière qui l'émerveillait et qu'il croyait être seul à voir, d'autres que lui la voyaient et arrivaient à la reproduire pour que d'autres encore s'en délectent. Cette idée lui donnait le vertige. “C'est incroyable, songeait-il, c'était là, ça existait et je ne le savais pas. Que de temps perdu, nom d'un petit jambon, que de temps perdu...” Cependant, le vieux monsieur, refroidi par la remarque de Noèl, s'était remis au travail en grommelant :

— Tu dérailles, vieux schnock. Évidemment. On ne voit pas pourquoi la peinture intéresserait deux porcelets.

Comme on se trompe ! Le soir même, à la bauge, Léon arracha un morceau de carton qui bouchait une fenêtre cassée. Trempant sa queue dans les eaux grasses, il peignit son premier tableau. Le résultat, bien sûr, ne fut pas très concluant. Mais sa vocation l'avait trouvé. Il ne pouvait plus lui échapper.

La vocation est un virus. Un microbe malicieux qui flotte dans l'air et que des milliers de gens vont respirer sans en être incommodés jusqu'à ce qu'un malheureux qui n'avait rien demandé l'attrape et ne puisse plus s'en débarrasser. Celui-là, qui sait s'il faut le plaindre ou l'envier ? La vocation le tient dans sa main de fer. Elle l'écarte de tout ce qui est naturel et agréable aux hommes, l'insouciance, la paresse, la futilité. Elle le traite en esclave, l'oblige à penser à elle, à trimer pour elle, chaque jour, chaque minute de son existence. "Le grand créateur n'a pas de vie personnelle" a dit un maître de la peinture abstraite qui savait de quoi il parlait.

Léon n'était pas encore un grand créateur. Mais la vie personnelle d'un jeune cochon est si calme et pour tout dire si vide que la passion éclata chez lui comme un coup de tonnerre dans un ciel d'été, provoquant des ravages immédiats. Le lendemain, de retour au pré, il oublia ses bonnes résolutions, trompa la vigilance de sa mère et faussa compagnie à Noèl pour se faufiler seul dans le champ voisin, où le vieux monsieur mettait la dernière touche à son tableau.

Ils eurent une grande conversation sur la peinture. Léon voulait tout savoir. Qui l'avait inventée ? Qui en faisait ? Où pouvait-on en voir ? D'où venaient ces tubes qui semblaient contenir toutes les couleurs du monde ? Les questions fusaient et le vieil homme y répondait, rose de plaisir sous son chapeau informe. Il aurait peut-être moins rosi s'il avait su ce qui l'attendait. Le soir venu, chargeant son matériel dans sa vieille camionnette, il ne vit pas qu'il embarquait un passager clandestin. Contre toute raison, Léon quittait la sécurité de la ferme, obéissant à la force impérieuse qui dirigeait désormais sa vie.

TOWN

Il faisait nuit noire quand la camionnette atteignit la ville. Le vieux monsieur habitait une drôle de petite maison en bois coincée entre deux blocs de béton, l'un abritant un supermarché, l'autre un fast-food. Fatigué par sa journée au grand air, il renonça à décharger son attirail. Léon, tapi au milieu du bric-à-brac qui encombrait l'arrière du véhicule, attendit sans bouger qu'il fût entré dans la maison. Puis il sortit de sa cachette et, avec mille précautions, se risqua sur le trottoir.

Il n'avait pas peur. Au cœur de ce monde inconnu, dans ce décor de façades muettes et de bâtiments pétrifiés, sous la lumière froide des réverbères glaçant l'asphalte qui renvoyait un écho creux sous ses sabots, dans ce silence peuplé des bruits indéfinis que les humains produisent en dormant, il n'éprouvait aucune frayeur. Et si son petit cœur de porc battait très fort, c'était d'excitation. Il s'éloigna d'un pas vif vers le centre de la ville endormie.

Il trottait par les rues vides, se répétant une phrase que le vieux monsieur avait prononcée l'après-midi : "C'est au musée que la peinture est exposée." Une voiture de police passa sans le voir, l'éclaboussant de son gyrophare bleu. Un feu de la circulation se balançant au dessus d'un carrefour clignait obstinément de ses yeux rouge et vert. "C'est au musée... au musée..." Les petits cochons n'apprennent pas à lire. Mais quand la vocation vous guide, les panneaux indicateurs deviennent superflus. Léon marcha droit vers le musée comme s'il avait toujours habité cette ville. Sur une affiche, derrière les grilles fermées de l'imposante bâtisse, il vit une peinture. C'était là. Il s'assit dans l'ombre d'une colonne et attendit patiemment le jour.

CATESSEN

A six heures, un homme arriva sur un vélomoteur. Il ouvrit les grilles avec des gestes mal réveillés. Léon se glissa à l'intérieur en même temps que lui et se trouva dans un hall immense dont le sol de marbre réfléchissait les premières lueurs du jour. Il se blottit dans un recoin et attendit que l'homme ait disparu. Bientôt, des bruits de seau et d'eau lui parvinrent. Il entendit un balai frotter les dalles et se remit en marche.

L'explorateur anglais qui découvrit le lac Victoria, les premiers astronautes à marcher sur la Lune ne furent pas plus heureux que le petit cochon à l'oreille coupée. C'était une ville modeste, mais son musée accueillait justement une rétrospective des maîtres du XXe siècle. Le public arrivait à dix heures, ce qui lui laissa tout le temps de se rassasier de chefs-d'œuvre de l'art moderne. Et le miracle fut que rien ne l'étonna. C'était comme s'il avait toujours été prêt à recevoir ces lumineuses éclaboussures du génie humain. Il n'est pas indispensable de connaître la peinture pour la comprendre et l'aimer. C'est ce qui en fait l'art des enfants et de l'enfance de l'humanité.

— Mais quelle horreur !

Le cri arracha Léon à la contemplation d'une femme tout en longueur de Modigliani. La dame qui avait crié était ronde, boudinée dans un tailleur fuchsia. Elle le regardait avec effroi.

— Au secours ! glapit-elle en reculant vers la sortie. A l'aide ! Il y a un cochon en liberté dans le musée !

Trois gardiens arrivèrent au pas de course et se saisirent de Léon. Interrogé sans ménagement, il donna une description précise du vieux monsieur qui l'avait amené en ville et de la petite maison où il vivait, entre le fast-food et le supermarché. On l'envoya chercher sur-le-champ.

Pendant ce temps, à la ferme, Noèl subissait lui aussi un interrogatoire en règle. L'absence de son frère n'était pas passée inaperçue, et comme on le tenait déjà pour responsable de son accident, on estimait, bien à tort, qu'il devait être pour quelque chose dans sa disparition.

Le jeune goret fut vexé. Non d'être traité comme un suspect, mais de ce que Léon ne l'eût pas informé de sa fugue. En s'enfuyant sans crier gare, ce jumeau timoré qui lui avait déjà valu tant de déboires le supplantait dans le seul domaine où il gardait une supériorité, celui de la témérité. Il devint neurasthénique et se mit à manger plus que de raison, à la grande satisfaction du fermier, qui aimait voir ses porcs engraisser.

L'été passa sans nouvelles de Léon.

Vint l'automne. Un matin qu'il se vautrait devant la bauge dans le tiède soleil de septembre, Noèl, qui était devenu une vraie montagne de lard, vit arriver le facteur. L'homme semblait en proie à une vive agitation. Il courait vers le fermier qui l'attendait à la barrière, agitant un journal au bout de son long bras maigre. Noèl s'approcha, intrigué. Ce facteur était le personnage le mieux informé de la région. Il lisait tous les quotidiens et les magazines avant de les distribuer aux abonnés.

— Regardez ça, dit-il. Est-ce que ce ne serait pas le porcelet que vous avez perdu en mai dernier ?

Sous une photo de Léon, reconnaissable à son oreille en moins, un titre barrait la page qu'il montrait au fermier :

LE COCHON QUI PEINT :
PRODIGE OU MYSTIFICATION ?

— Sacré nom de nom, c'est bien lui ! s'écria le fermier, et il courut prévenir sa femme.

M. Vilnus Ratvinus, disait l'article, *professeur de dessin à la retraite et sympathique original bien connu de nos concitoyens, affirme posséder un cochon qui peint. L'animal ferait preuve, selon lui, d'un talent parfaitement époustouflant. S'agit-il d'un canular ou d'un étrange cas de mutation ? Pour le savoir, il faudra attendre le vernissage des œuvres du prétendu prodige porcin, qui aura lieu mardi prochain au Café Bohême, en face de la caserne des pompiers.*

Le mardi suivant, le fermier, rasé de frais, la fermière et leurs enfants, coiffés de neuf, se présentaient dans l'établissement en question. C'était, comme son nom l'indique, un café fréquenté par l'élite bohème de la ville, artistes, intellectuels, poètes patentés, tous facilement reconnaissables à leurs poils hirsutes, pull-overs informes et propos péremptoires. Les fermiers se sentirent un peu déplacés au milieu de cette foule pittoresque. Quant aux toiles accrochées aux murs, elles les laissèrent assez perplexes. Avec des titres comme *Saint-Porcin, Goret et Guitare, Truie au bain, Ceci n'est pas une saucisse,* elles tournaient toutes autour du même sujet. La facture en était nerveuse et gaie, avec certaines maladresses dont on ne pouvait dire si elles étaient dues à la volonté du peintre ou seulement à son inexpérience.

Le vieux monsieur, dont nous connaissons à présent le nom, discourait au centre d'un cercle de barbus épatés.

— Foi de Vilnus Ratvinus, je n'ai fait que lui enseigner le b-a ba de la technique. Tout le reste vient de lui. C'est un génie, ce petit goret ! C'est la preuve que l'ange de l'inspiration ne dédaigne aucune créature ! C'est...

— C'est mon cochon, dit le fermier, qui s'était approché.

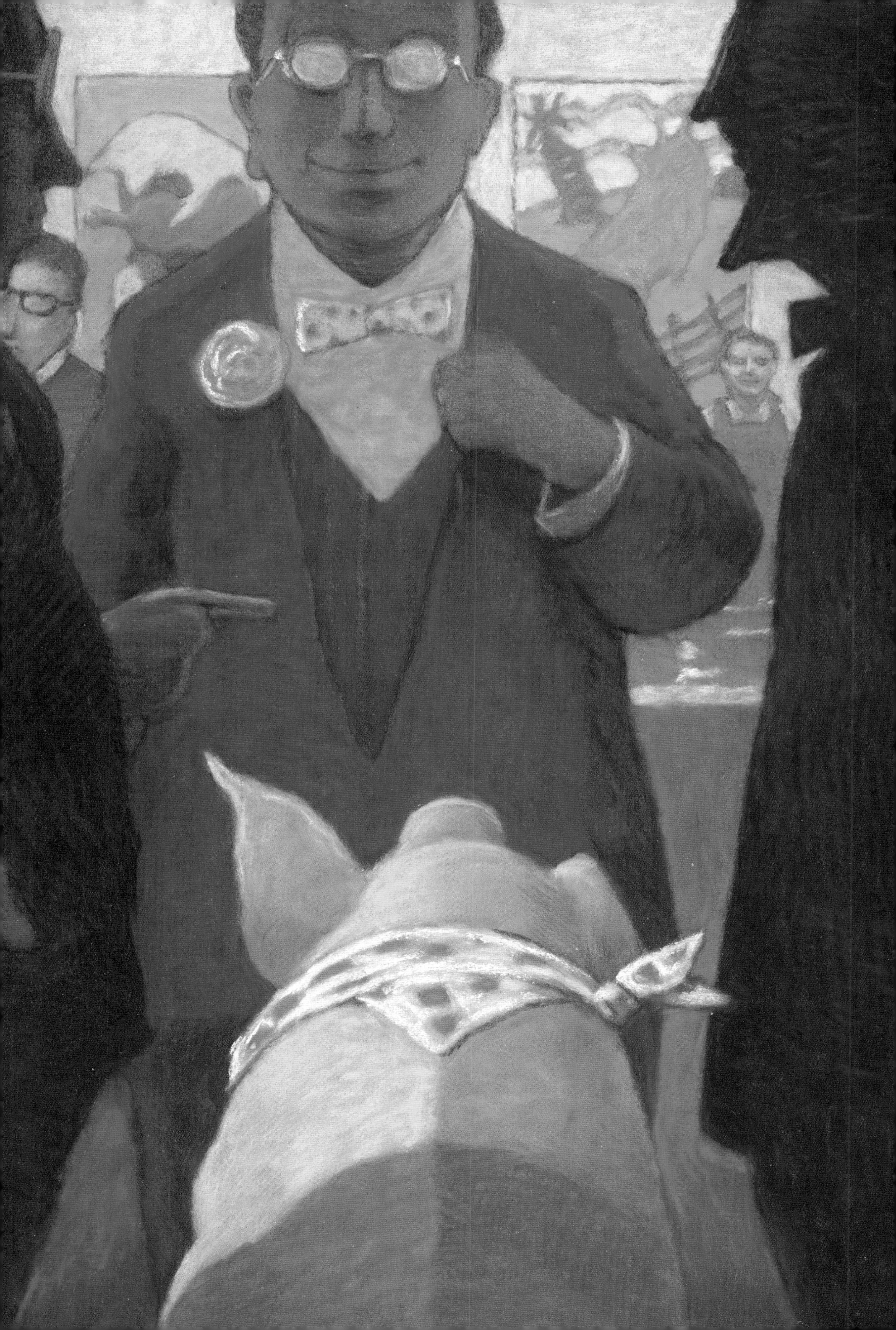

Ce fut un drame. Un affreux déchirement. Mais le numéro que tous les porcs portent tatoué dans l'oreille gauche permit au fermier d'établir sa bonne foi, et le vieux Ratvinus, dont la probité était légendaire, ne put que s'incliner. Ainsi, le jour même de son premier succès, Léon dut-il quitter la ville dans le coffre du break de son légitime propriétaire.

— Vous pourrez venir le voir si ça vous chante, dit le fermier, qui n'était pas le mauvais bougre.

Il avait, en outre, une idée derrière la tête. La faune experte du *Café Bohême* avait eu l'air d'apprécier la peinture du porcelet. Au cas où elle prendrait une valeur marchande, il ne tenait pas à priver le jeune prodige de son tuteur.

Léon, au fond, ne fut pas fâché de retrouver la ferme. La maison du vieux Ratvinus, où il venait de passer plusieurs mois à travailler d'arrache-pied, était vraiment exiguë, envahie d'odeurs nauséabondes échappées du fast-food et du supermarché mitoyens. Et puis, un artiste a besoin de revoir les paysages qui ont marqué l'éveil de sa vocation. Se rappelant son premier choc esthétique, il lui tardait de reprendre les pinceaux pour peindre le pré vert, les cochons roses et le bleu limpide du ciel. Ou, pourquoi pas, maintenant qu'il s'était affranchi des conventions académiques, le pré rose et les cochons bleus sous un ciel jaune de chrome.

Son retour réjouit tout le monde, sauf Noèl, qui se considéra une fois de plus comme le perdant de l'affaire. Non seulement Léon ne le reconnut pas tant il avait forci, mais le fermier lui aménagea un atelier dans une grange désaffectée.

Noèl, l'ancien enfant gâté de la ferme, se sentit gros, stupide, jaloux et délaissé. Un simple cochon parmi les cochons.

L'hiver arriva. Tandis que Léon peignait dans le calme de sa campagne retrouvée, la nouvelle de son existence commença à courir dans le pays. Ce n'est pas tous les jours qu'on voit le génie pictural s'emparer d'un cochon. Il n'existe en fait qu'un précédent connu dans le règne animal, celui du fameux Boronali*. Le petit monde de l'art, toujours méfiant, refusait d'écarter l'hypothèse d'une mystification. On soupçonnait le vieux Ratvinus d'avoir monté l'histoire de toutes pièces pour faire connaître sa peinture, qui n'avait jamais intéressé personne. Finalement, un groupe d'experts se déplaça pour observer Léon au travail dans sa grange-atelier et décréta que les toiles étaient bien de lui. Ce fut le signal de la ruée. Les médias se déchaînèrent. Toutes les télévisions du globe dépêchèrent des équipes à la ferme. Les touristes se mirent à affluer. Le fermier ouvrit une buvette, puis un restaurant. Il se frottait les mains. Entre la manne touristique et la vente des tableaux, son petit cochon était devenu une véritable mine d'or.

Cette popularité soudaine contraria profondément Léon. L'enthousiasme qu'il suscitait chez les amateurs d'art et les curieux du monde entier nuisait à son œuvre. Il passait plus de temps à poser pour des cars de Japonais qu'à travailler.

— Qu'on me laisse peindre ! grommelait-il.

Quant à Noèl, il était dans le trente-sixième dessous. A l'approche de l'an neuf, il venait d'apprendre une horrible nouvelle.

* Il s'agit d'un canular célèbre du début du siècle. Pour ridiculiser la peinture moderne, un groupe de farceurs lança le peintre Boronali, dont la critique chanta les louanges. On apprit par la suite qu'il s'agissait d'un âne à la queue duquel on avait attaché un pinceau. Boronali était tout simplement l'anagramme d'Aliboron, nom du baudet dans les *Fables* de La Fontaine.

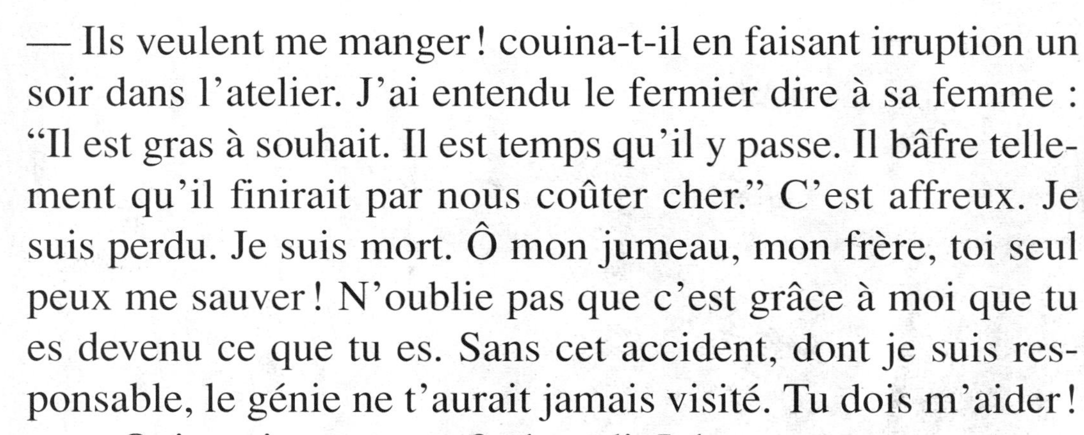

— Ils veulent me manger ! couina-t-il en faisant irruption un soir dans l'atelier. J'ai entendu le fermier dire à sa femme : "Il est gras à souhait. Il est temps qu'il y passe. Il bâfre tellement qu'il finirait par nous coûter cher." C'est affreux. Je suis perdu. Je suis mort. Ô mon jumeau, mon frère, toi seul peux me sauver ! N'oublie pas que c'est grâce à moi que tu es devenu ce que tu es. Sans cet accident, dont je suis responsable, le génie ne t'aurait jamais visité. Tu dois m'aider !

— Oui, mais comment ? répondit Léon.

— Laisse-moi ta place. Non, ne m'interromps pas. Réfléchis. Tu te plains de ne plus avoir le temps de travailler. Il te suffit de partir pour échapper à cette agitation. Va découvrir le vaste monde. Ce sera excellent pour ton inspiration.

— C'est toi qui voulais devenir explorateur.

— J'étais jeune, dit Noèl, avec une certaine amertume. On change. On s'assagit. Écoute, je vais faire un régime, je me couperai une oreille et nous redeviendrons les jumeaux parfaits que nous étions autrefois. Ils n'y verront que du feu.

— Mais tu ne sais pas peindre !

Le cochon obèse jeta aux tableaux un regard en coin.

— Sans vouloir te vexer, dit-il, je devrais m'en tirer aussi bien que toi.

Ainsi fut-il fait. Noèl s'astreignit à une diète sévère et, au cours d'une scène que sa brutalité m'interdit de relater ici, se trancha l'oreille droite à l'aide d'une faux. Léon profita d'une visite du vieux Ratvinus pour s'enfuir de nouveau. Chevalet à l'épaule, il s'en alla courir le vaste monde. Son frère prit sa place et se plia de bonne grâce à ses obligations publiques.

Il adorait se sentir l'objet d'une telle admiration.